U0137027

速写训练专集系列

张_速文恒_写

张速文恒写

吉林美术出版社

作者简介

　　张文恒 1959年9月出生，河南人，现任南开大学东方艺术系与艺术设计系副教授，中国油画学会学员。

　　作品曾参加"中国油画双年展"、"第九届全国美展"、"中国艺术大展"及"第三届中国油画展"等，并曾获奖。出版的专著、画集共二十余种，在艺术学子中影响其大。作品散见于全国各种专业期刊及大型画册，中央电视台《美术星空》栏目曾以"中间地带"为题对其艺术创作情况予以介绍。

　　1992年曾创办"华艺美术专修学校"，2002年开始在郑州与美术高考名师海雁共同创立"张文恒美术高考特训班"，多年来通过两人卓有成效地辅导，考取全国各类美术院校（系）的学生已逾千人。

编者的话

当一个儿子问他的画家父亲"你为什么画速写"时，父亲说："画速写是成家的秘诀，是我的艺术生命，是我感悟人生的教科书，是我进入艺术殿堂的基石，是我进行艺术创造时的睡眠，是我存在银行里的支票，是我的私人日记，是我个人性格的写照……"这一席话道出了艺术家对速写的深刻认识。

速写是一种素描，而且是最为精炼的素描。它迅捷、准确、生动地描绘着事物的本质面貌和瞬间变幻的视觉感受。速写是一门视觉艺术，是研习视觉艺术的人终身都需要学习的一门艺术语言，是画家、设计师、建筑师取之不尽的财富，是艺术创作素材的宝库，是艺术家阐释生活、表达情感的工具。大师门采尔，他的手几乎就没有离开过画笔，看戏时连门票都画上了速写。凡成功的画家、设计师都对速写有着深刻的领悟，从他们的速写作品中，我们能感受到内容所释放出来的激情，他们巧妙地运用线、面、体、组织成视觉语言，用最为直接的表现手段，最为简练的表现形式，表达出了形象的深刻内涵。

常听有些人讲后悔没有坚持画速写，而丧失了作为艺术家的先决条件。这提醒着我们这些美术工作者，无论是已经有了成就的画家或设计师，还是即将步入美术设计学院的莘莘学子们，速写是我们的终身朋友，是素描艺术中最直接的、最灵活的表现形式，无论是现在还是将来，速写都 将是我们必须钻研的内容。

学习速写会让人学会思考，养成正确的观察习惯，善于运用有效的表现手段，并且能从多角度、多时空捕捉对象内容，能运用多种技能、工具、材料构筑对艺术及生活的理解，同时也是克服长期课堂素描作业呆板的有效手段之一。目前，国内素描教学由于严格区分光影素描与速写之间的技术关系，形成了一种刻板教条的素描基本功模式，而忽略素描的本质问题，那就是建构正确的思维方式。

本套速写集精选了部分艺术家的不同风格的作品，这些作品都包含了他们对艺术、对生活的独特理解与体验，打破了以往美术院校教学体系中旧的模式，概念性地认为只有长期素描作业才够严谨，而速写是短期作业，难免会有一些概念化，所以大都偏重长期素描作业训练，而忽视速写的训练。我认为速写能有效地培养手、眼、脑协调的写生能力，它的灵活多变性又能生动地表现对象，这是长期素描作业所不能取代的。编辑出版本套速写集的目的在于：要把速写作为学习绘画、设计的必要艺术范畴提出，注重速写的鲜活性特征，帮助学生理解速写的意义，引导学生学会主动地通过速写来培养实践能力，逐渐形成敏锐的艺术感受能力。

这套作品集体现了几位老师在多年教学中积累的速写经验与感悟，希望能给学习速写的人以很好地借鉴。王力老师的作品，体现了他对人物、动物运动规律的理解，几根线条就暗示出了人物性格，表达出了他对动物动势视觉意识，他的电脑速写也是一个大胆的尝试。张文恒老师的作品，以准确的线条支撑起人物的内在结构，表达了自己对人物的理解与感受，充满了情感气息。马成武老师的作品，对人物面部表情刻画尤为生动，深刻地表现了人物的性格，他的聋哑人速写既写意又传神，还富有朝气。王守业老师，他更加关注线在速写中与人物间的对话关系，注重速写的语言趣味和速写的心境倾诉。

李 恒

2004 年 9 月

关于速写

速写，英文"SKETCH"指素描，亦解作草图、素材，我们通常指称的"速写"，词义显然与素描有别。其实，在实践中我们很难将速写与素描强为区分。从广义上讲，速写甚至就属于素描的范畴。这里的"速写"，意在较短的时间内，用简练、概括的表现手法，捕捉物象主要特征与结构的一种绘画形式，它具有洗练、鲜活的特点。它可以使用任何工具，亦可采用诸如线条、明暗等多种样式，其题材更是无所不包。速写通常是作为造型艺术中的一种基本功训练与收集形象资料、积累创作素材的手段，有时亦作为创作的预演与形式探索的手段。

速写需要在较短的时间内，快速、简练地表现对象，这就迫使你要敏捷地把握对象的整体关系与基本感觉，这有利于培养和提高从整体出发去观察、感受和表现对象主要特征的能力。由于描绘对象的千变万化或转瞬即逝，锻炼初学者凭记忆和想象再现与创造形象的能力，从而促进创作能力的提高。速写是训练学生在判断题材的"粗坯"时，将不重要的细节与重要的视觉素材区分开来，越过题材的细节看到其显著的视觉特征及意味所在，寻求简化和概括形式、空间、特征和动态的方法，其魅力在于接受大量运用简洁手法的挑战，在于采用写意的笔法与色调的表现，使每一笔痕同时具有描述与审美的功能。又由于速写工具简便，捕捉形象快捷、生动，它又常常作为在生活中收集创作素材的一种手段，有些速写看似粗率，却常常是创作灵感的契机。在运用速写这一形式时，可以充分发挥主体的创造精神，强化审美感受，寻求另一种独立形态，使其具有超乎自然表象的透视、结构之上的审美价值，这是经由训练量的递增及创造主体的自由构想与重组来实现的一种本质转换，一幅好的速写作品具有其独立的艺术品格，其审美效应有时并不在某些鸿篇巨制之下。

速写的主要构成要素为线条与明暗。线条是视觉形式的最基本语言。自然中并不存在纯粹的线条，它只存在于物质的实际和艺术家对它的探索之间，它是艺术家的一种概括与"抽象"，它一方面源于人们对于形体的认识，另一方面又源于由此产生的理念与情绪，其功能是表现物质实体的结构，同时又完成画面自身。线条受追求结构的动机所驱使，它可以幻化出多种可能，既可以表现出激烈的暴力，亦可透露出悠闲的惰意。它不仅仅是轮廓与结构本身，更是具有独立性的、体现着节律之美的心灵轨迹。

明暗也是一种有力的表现媒介，通过明暗可以暗示出不同的心理与情绪，它又是从深层上调整构图的手段，除了对自然的光影认真地观察外，还要把观察所得的信息迅速分解、重构，演化成不同量的黑白语言，控制与调节好画面的黑白关系，体悟明暗在画面中的妙用，认识到色调并不只是表现空间的物体，更可凭借自身的灵活调节与变化，创造出复杂多样的画面效果，把自然之光转化为艺术之光与精神之光。

速写要求"速"与"写"，比起素描来有些像减法，但如何减，却有讲究、费推敲，简练的笔画要传达出丰富的信息，豪放而不逾规，率意但不悖理。其瞬间的挥写，看似近乎无意识的动作，实乃长期的苦修及慢写训练的积累内在地发挥着作用，影响着你的判断，支配着你的动作，维系着你图画的生命。从大师们的作品中，我们能够感受到其对物象真实的洞悉和对艺术的深刻体悟及精熟、洗练的手艺，即使逸笔草草，亦透露出其作者的天性、才情、品位等诸般信息。速写于当下，除了考生，已是习者寥寥，不知是观念的不断"更新"，抑或是物质的更趋于"文明"使然，纵观古今艺术巨匠，未见有轻慢速写以为小技者，皆以素描、速写之功为其艺术构架的本质与基础而操持终生，未敢懈怠。速写于手、于眼、于心及三者的有效配合，都是一种必要的训练，玄妙的意图与驰骋的想象只能借精熟的手艺落实于笔端，如果没有技术上的难度与魅力，其表现常会是失败的、苍白的，决定的因素在于技巧的表现力与精神的感召力，习画者唯有持之以恒，不懈于手，方可意到笔随，畅游于造化间，超于画道中"为所欲为"的自由。

张文恒

2004 年 10 月

5

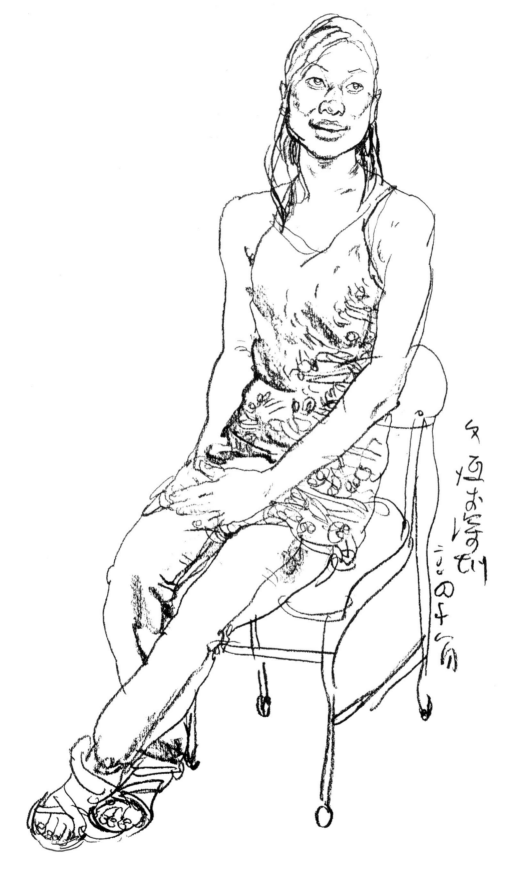

夕暮おぼすみ
三田千代

父
恒胡强
二○○○七十月

13

张弘を師

後極めは御

二○三千秋

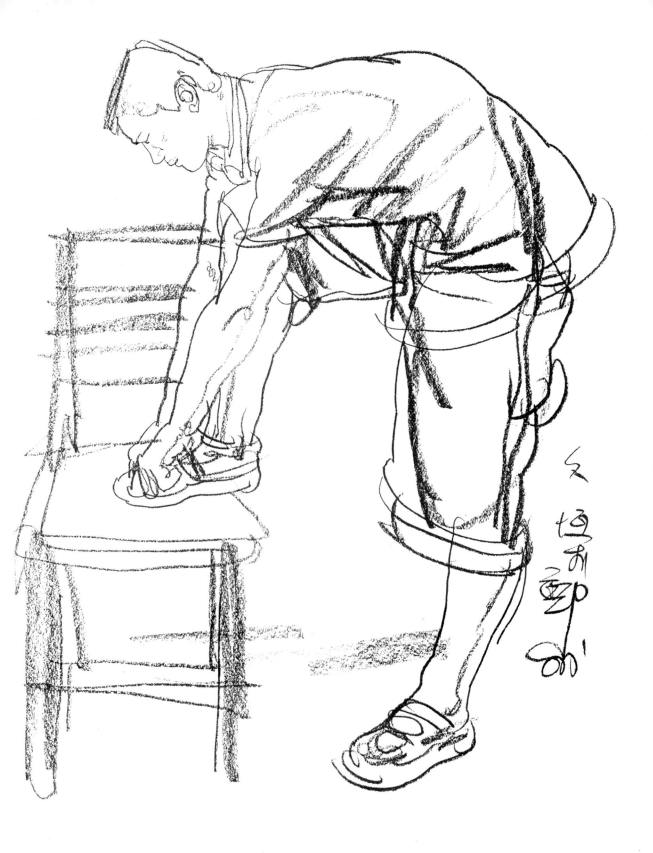

17

车期子写生
二0二x十月十六日
又画有使
小

19

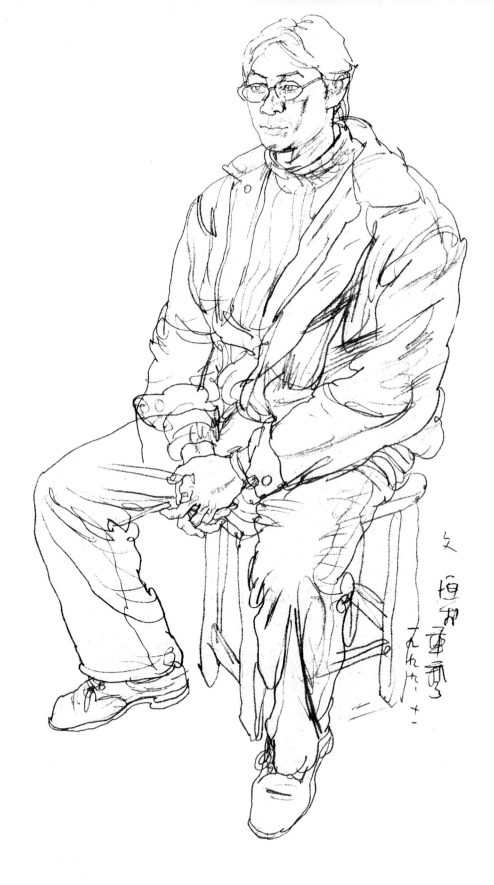

久
垣都
亜希
一九九
十

21

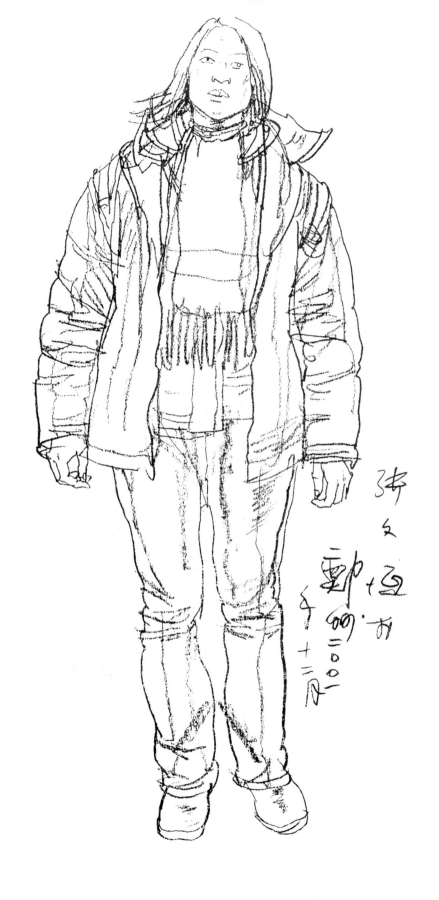

张红
郑恒
作
二〇〇
年十二月

雪重压一家

鸿文画多於

二零零于载画成

二〇〇二年十二……

25

保城
姐妹
文恒画 00.1.8

26

秋阳高照 川

二〇〇年々恒相隽

张文恒画孙亚
二〇〇二年十月

29

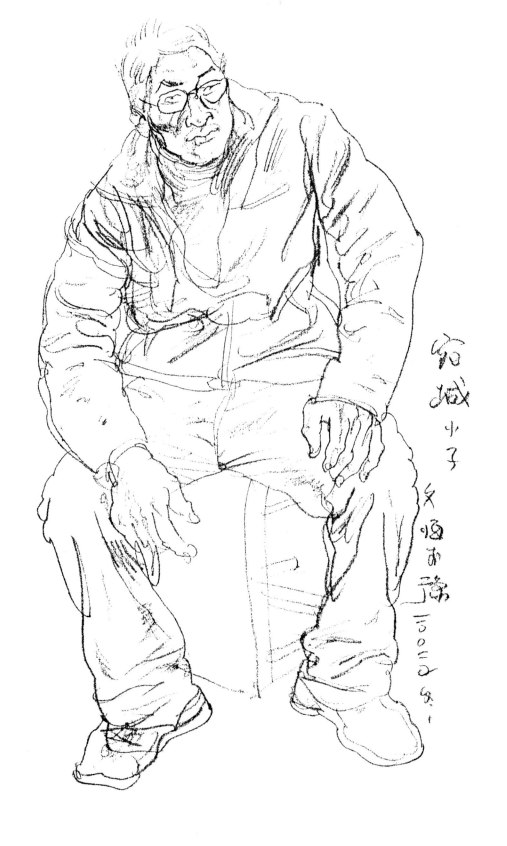

宮城少子
父□□□諸

二〇〇一 8.

父母

34

夕阳东部路口
二〇〇三十一点半

38

40

41

43

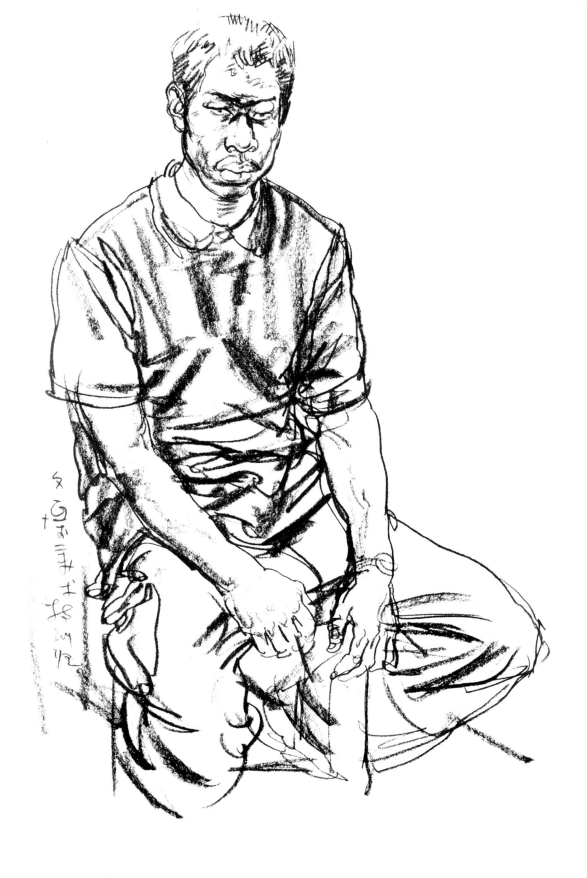

44

なもみえんぴっ

夕方水泳向

二〇〇午9

50

夕個お二〇〇〇年十月(二)。

夕陽お強画
二〇〇十年。

阳光下的女孩

文恒画二○○二年十二月

碑文西柏坡

二〇〇七年三月柏日

夕陽なか　青年
四十の中の一つ　二〇〇〇

张文源画
二〇〇二年八月

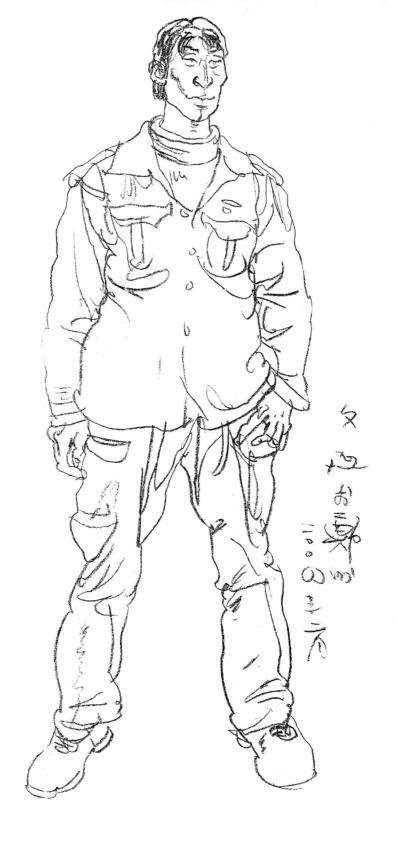

夕闇お濃のそたみ

刘培生像

又好机二〇〇〇.十.二二

81

黑鸟写写生
又写写画中
三〇〇的廿三画

84

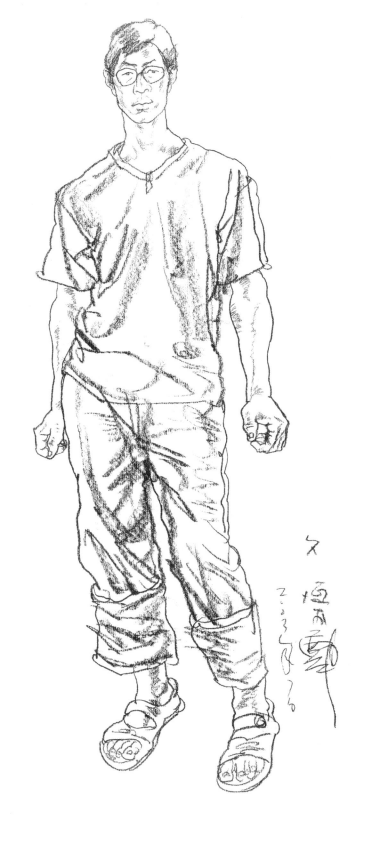

89

90

林文伯写生
二〇〇年十月五日

孙义同志扶锨画

徐同澤十
体久恒か三二十
李曰

天使十條

張文恒（題字於潭西）
二○○五年

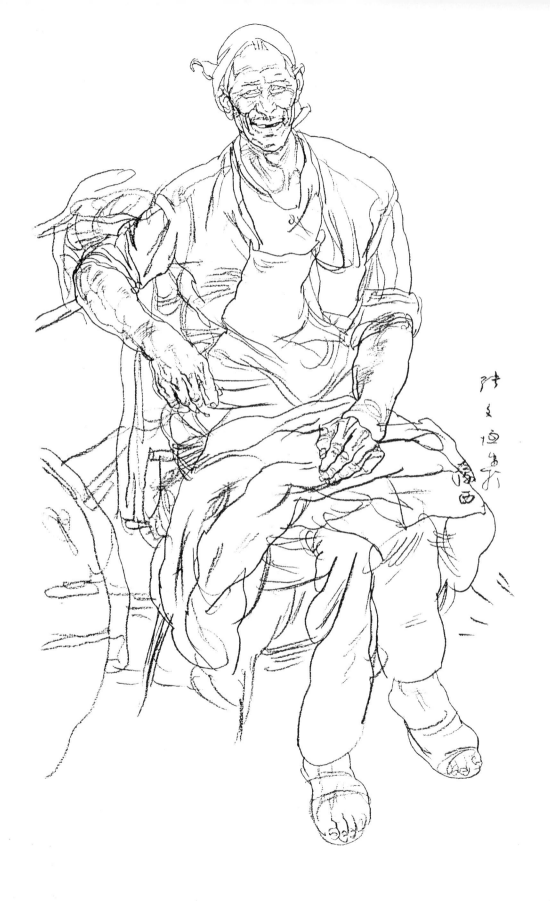

久恒由佳三〇〇五年の

105

图书在版编目（CIP）数据

张文恒速写/张文恒绘.—长春：吉林美术出版社，2005.1
（速写训练专集系列）
ISBN 7-5386-1762-0

Ⅰ.张… Ⅱ.张… Ⅲ.速写-作品集-中国-现代
Ⅳ.J224

中国版本图书馆CIP数据核字（2005）第003353号

速写训练专集系列
张文恒速写

策划/松果文化工作室
丛书主编/李恒　田国林
著/张文恒
责任编辑/张学杰
装帧设计/李恒
技术编辑/赵岫山　郭秋来
出版发行/吉林美术出版社
（长春市人民大街4646号　邮政编码130021）
制版/吉林省江山电脑图文有限公司
印刷/长春新华印刷厂
开本/889mm×1194mm 1/16
印张/7
版次/2005年1月第1版
印次/2005年1月第1次印刷
印数/1-5000册
书号/ISBN7-5386-1762-0/J·1448
定价/99.50元/套（19.90元/册）